Jeunesse

UNE PETITE FILLE
FORTE, FORTE, FORTE

Sally Gardner

UNE PETITE FILLE FORTE, FORTE, FORTE

Traduit de l'anglais par :
Marianne Costa

À Diani Belli,
pour tout son amour et
son amitié indéfectible

L'édition originale de cet ouvrage
a paru en langue anglaise
chez Dolphin Peperbacks,
une division de Orion Children's Books, Londres,
sous le titre :
THE STRONGEST GIRL IN THE WORLD

1

Un certain vendredi matin...

Julie connaissait beaucoup de tours. Elle savait tenir un crayon en équilibre sur le bout d'un doigt. Elle savait se curer le nez sans qu'on la voie, et même chatouiller le chat jusqu'à ce qu'il crie : Arrête !

Mais un certain vendredi matin, à dix heures et demie, elle découvrit qu'elle savait faire quelque chose d'encore plus incroyable que tout cela. Un truc qui devait changer le cours de sa vie.

C'était la récréation, David Dumont avait glissé sa tête entre les grilles du portail et il n'arrivait plus à la sortir. Son institutrice, Mme Legrand, voulut venir l'aider.

Mais, malgré tous ses efforts, la tête de David ne bougea pas d'un millimètre.

L'infirmière en personne vint jeter un coup d'œil. Les joues de David étaient toutes rouges. Le directeur de l'école, M. Martin, appela les pompiers. La dame de la cantine mit du beurre sur le visage enflé de David mais, malgré cela, sa tête ne passait toujours pas entre les barreaux. David Dumont était bel et bien coincé.

Tous les enfants de l'école s'étaient rassemblés autour de lui pour le regarder. Il y avait des semaines qu'on ne s'était pas autant amusés.

« Madame, il va exploser ? demanda un petit garçon.

— Madame, madame, on va lui couper la tête ? s'écria un autre.

— Mais non, répondit Mme Legrand. Allons, les enfants, ne restez pas autour de lui. »

Là-dessus, David Dumont se mit à pleurer.

Soudain, Julie Jacquet, âgée de huit ans et neuf mois, sentit qu'elle pouvait agir. Un frisson de puissance parcourut ses bras jusqu'au bout des doigts.

Elle s'approcha de la grille et, d'un seul geste, écarta les barreaux. C'était aussi facile que de séparer deux mouchoirs en papier. Hop ! La tête de David Dumont n'était plus coincée.

On entendit d'abord un silence ébahi, puis des cris de joie. Mme Legrand n'en

11

croyait pas ses yeux. David était debout devant elle, encore un peu rouge et les oreilles pleines de beurre, mais libre.

Au même instant, M. Martin arriva en courant dans la cour de récréation, suivi par un groupe de pompiers. Tous les enfants tiraient sur les barreaux de la grille pour voir s'ils pouvaient les écarter, mais aucun n'y réussissait. Debout au milieu de ses camarades, David Dumont

demeurait immobile, congestionné et abasourdi.

« Qu'est-ce que ça signifie ? demanda M. Martin en regardant David. Comment t'es-tu libéré ? Madame Legrand, expliquez-moi ce qui se passe ici ! »

L'institutrice avait du mal à trouver ses mots. Elle désigna seulement Julie.

« Quoi ! C'est une farce ? demanda M. Martin.

— Non, monsieur, répondit Julie. J'ai vu que David était coincé, alors je l'ai décoincé. »

Le capitaine des pompiers examinait les barreaux tordus de la grille.

« Qui a fait ça ? questionna-t-il.

— Moi, monsieur », répliqua Julie.

M. Martin avait l'air prêt à exploser.

« Julie, dit-il, ces barreaux sont en fer. Personne ne peut tordre le fer à mains nues,

et encore moins une petite fille de huit ans.
C'est la raison pour laquelle j'ai appelé les
pompiers.

— Vous voulez que je les redresse ?
murmura Julie.

— Ne dis pas de bêtises ! » s'exclama le
directeur.

Sans un mot, Julie s'approcha de la grille.
Devant toute l'école et le capitaine des
pompiers, elle redressa les barreaux.

Un grand frère, quelle galère !

Ce soir-là, Julie était à table avec sa famille : maman, papa et son grand frère Louis. Elle n'avait pas raconté ce qui s'était passé à l'école, car elle pensait que personne ne la croirait. Même Mme Legrand, sa maîtresse, avait affirmé devant toute la classe qu'il s'agissait d'une farce mise au point par David et Julie. David avait passé tout l'après-midi en retenue dans le bureau de M. Martin, et Julie avait dû copier cent fois « Je ne ferai plus semblant de tordre les barreaux ».

« Tu es bien silencieuse, ma chérie, remarqua Papa. Tout va bien ?

— Oui », murmura Julie.

Peut-être son père pourrait-il comprendre ce qui lui était arrivé ? Il disait souvent qu'il y a de la magie dans le monde, mais que personne ne se donne la peine de la voir. Elle ne voulait pas parler devant Louis : à douze ans, son frère se croyait très malin et ne manquait pas une occasion de se moquer d'elle.

Après avoir dîné, Julie monta dans sa chambre. Elle voulait vérifier si son don n'avait pas disparu. Elle saisit sa chaise et la souleva : elle lui parut légère comme un crayon. Pouvait-elle la faire tenir en équilibre sur le bout de son doigt ? Mais oui, rien de plus facile !

C'est à ce moment-là que Louis entra dans la chambre. Il avait la mauvaise habitude d'entrer sans frapper.

« Julie, qu'est-ce que tu fabriques ? demanda-t-il en ricanant. Tu fais ta for-

tiche ? Allez, pose cette chaise sinon tu vas te faire mal. »

Julie la reposa gracieusement, sans le moindre effort.

« Essaie si tu veux, dit-elle.

— Quoi, moi, soulever ce truc ? répondit Louis. Franchement, ça me fait de la peine tellement c'est facile ! Mais si tu y tiens... »

Il souleva la chaise. Elle était bien plus lourde que ce qu'il aurait cru, et il était incapable de la faire tenir en équilibre sur le bout de son doigt. Il faillit la laisser tomber, puis la reposa à grand bruit sur le sol. Mais, comme il ne voulait pas perdre la face devant sa petite sœur, il lui donna une tape sur l'épaule.

« Tu vois, c'est facile, ma cocotte. Allez, maintenant, va te coucher. »

Pour une fois, Julie n'était pas fâchée contre son frère. Elle était bien trop contente de constater que son don fonctionnait encore.

3

Un nouveau tour de force

Le lendemain matin, Julie se réveilla avant son frère. En descendant à la cuisine, elle trouva son père en train de prendre le petit déjeuner.

« Bonjour, ma puce. Qu'est-ce que tu vas faire ce matin ? Regarder des dessins animés à la télévision ?

— Non, Papa. Je voudrais venir travailler avec toi. »

Le père de Julie possédait un petit garage où il réparait de vieilles voitures. Julie adorait lui rendre visite au travail le samedi. C'était elle qui lui apportait son déjeuner, il poussait ses outils au bout du banc pour lui faire de la place. Il ne voulait pas que sa petite princesse se salisse. Mais pour la première fois Julie se proposait de venir travailler avec lui : d'habitude, c'était Louis qui l'aidait.

« D'accord, dit Papa. Tu répondras au téléphone et tu nous feras du café. »

Ce n'était pas le genre de travail auquel Julie avait pensé, mais elle pouvait s'en contenter. Elle attendit toute la matinée une occasion de mettre son don à l'épreuve.

« Je dois aller faire une course avec Louis, dit Papa. Je te confie le garage. Réponds au téléphone s'il sonne et surtout ne touche à rien. »

Aussitôt qu'ils furent partis, Julie s'approcha de la voiture sur laquelle son père travaillait. Enfin elle pouvait s'amuser ! Est-ce que son don marcherait cette fois, comme avec les barreaux de la grille et avec la chaise ? Elle glissa sa petite main sous le pare-chocs, puis se mit à soulever le véhicule.

Oui ! elle en était capable ! La voiture n'était pas plus lourde que son cartable. Avec un peu d'adresse, elle pouvait la tenir en équilibre sur la paume de sa main.

Lorsque son père et son frère arrivèrent, ils trouvèrent une petite fille toute mince dans sa robe, portant à bout de bras une Ford Cortina.

« Ne bouge pas ! s'écria Papa. Louis, appelle les pompiers, vite ! »

Avec précaution Julie reposa la voiture par terre.

« Pas la peine, dit-elle. Ils n'aiment pas mes tours de force. »

4

Le secret de Julie

Pendant toute la journée. Papa et Louis mirent à l'épreuve la force de Julie. Ils furent bientôt convaincus qu'elle ne trichait pas. La petite fille avait vraiment un don.

« Vous êtes bien silencieux ce soir, dit Maman au dîner. Vous avez donné votre langue au chat ?

— Hum, hum…, dit Papa. Josiane, il faut que je te parle.

— Oh, Julie ! murmura Maman. Tu n'as pas fait une bêtise au garage, j'espère ?

— Non, mais je crois qu'elle est la petite fille la plus forte du monde. »

Maman se mit à rire, elle riait tellement que des larmes coulaient sur ses joues.

« Robert, tu racontes n'importe quoi ! »

Sur un clin d'œil de son père, Julie souleva la table du dîner aussi aisément qu'un livre et la fit tourner sur le bout de son doigt. Sa mère demeura muette, blanche comme un linge.

« Tu n'as encore rien vu, ajouta Louis. Elle est capable de soulever une voiture à bout de bras, et...

— Attendez ! s'exclama Maman. Vous êtes en train de me dire que ma fille, qui est plutôt petite pour son âge et toute mince, ma fille qu'un coup de vent trop brusque pourrait renverser, est capable de soulever une voiture ?

— Oui », répondit Julie.

Et elle raconta à sa mère l'histoire de la grille de l'école.

« Qu'est-ce que nous allons faire ? s'inquiéta Maman. Personne ne va nous croire.

— Mais nous n'allons rien dire à personne ! protesta Papa. Pour le moment, c'est notre secret.

— Tu ne penses pas qu'on devrait l'emmener chez le médecin ?

— Maman ! intervint Louis. Julie n'est pas malade, elle est seulement devenue très, très forte.

— Ma petite Julie, soupira Maman. Forte ou faible, tu seras toujours ma fille chérie. »

Et elle la serra dans ses bras.

5

Un camion léger, léger...

Julie n'avait aucune envie de retourner en classe ce lundi matin. M. Martin, le directeur, rassembla les élèves et fit un discours pour leur rappeler que les mauvaises farces dans la cour de récréation et les mensonges étaient du plus mauvais goût.

Mme Legrand, sa maîtresse, la traitait sévèrement, et les autres élèves se moquaient d'elle.

« Alors, la tordeuse de barreaux, comment ça va aujourd'hui ? Tiens, voilà l'assistante de Superman ! »

Ils continuèrent toute la journée. Seul David prit sa défense.

« Papa a raison, pensait Julie. Personne ne doit savoir que j'ai vraiment un don. »

Lorsque retentit la dernière sonnerie, elle était soulagée. Sa mère l'attendait à la sortie de l'école.

« Tu veux goûter, ma puce ? demanda-t-elle.

— Je n'ai pas faim, répondit Julie. J'ai passé une mauvaise journée. »

Elles rentrèrent vers la maison en remontant la rue principale. À ce moment-là se produisit un événement qui devait changer le cours de leur vie.

Un camion sans personne au volant dévalait la rue à toute allure, roulant droit vers le passage piétons où attendaient Julie, sa mère et ses camarades d'école.

Le conducteur courait derrière son camion en criant. Rien ne pouvait arrêter le véhicule.

Julie sentit un frisson de puissance lui traverser les bras et, sans hésiter, elle plaça au beau milieu de la chaussée. Son mince bras tendu stoppa le camion en plein élan. Il n'était pas plus lourd qu'une balle, et bien plus facile à attraper, vu sa taille.

Le véhicule s'arrêta net, sans faire de mal à personne. Il y eut un moment de silence stupéfait. Puis, à mesure que les gens réalisaient ce qui s'était passé, le silence fit place au chaos. Des parents d'élèves s'évanouirent. La vendeuse de sucettes avait du mal à tenir debout et le propriétaire du camion n'en croyait pas ses yeux.

Quand les ambulanciers et la police arrivèrent, ils crurent d'abord qu'un terrible

accident s'était produit : le trottoir était jonché de gens évanouis. La marchande de sucettes marmottait des phrases incompréhensibles où il était question d'une petite fille. Le camionneur, assis par terre, affirmait qu'il y avait de la magie là-dedans. Les policiers ne comprenaient rien.

Et puis, debout au milieu de la route, ils aperçurent une petite fille appuyée contre un camion.

« Tout va bien ? lui demanda un policier.

— Oui, répondit Julie, mais je ne peux pas lâcher le camion, sinon il va se remettre à rouler. »

Le policier pensa que cette petite fille avait perdu l'esprit.

« Allons, retourne sur le trottoir et laisse ce véhicule tranquille », ordonna-t-il.

Julie obéit. Le policier sortit un bloc-notes de sa poche.

« Bon, qui peut m'expliquer ce qui s'est passé ? »

Mais avant qu'il ait pu écrire un seul mot, le camion se remit à rouler. Julie se précipita au milieu de la chaussée et l'arrêta de nouveau.

« Merci bien, observa le policier sans lever les yeux de son bloc-notes. Où en étais-je ? »

La mère de Julie eut toutes les peines du monde à le convaincre que c'était inutile d'emmener sa fille au poste.

6

Les journalistes

Le père de Julie marchait de long en large, l'air préoccupé.

« Je suis désolée, Papa, je n'ai pas réfléchi, dit Julie.

— Tu n'as rien fait de mal, ma puce. Tu as été très courageuse.

— Alors il ne va rien m'arriver ?

— Les journalistes vont vouloir te voir, répondit Papa d'un air inquiet. Et je me demande ce qu'ils feront de cette histoire. »

À ce moment on sonna à la porte.

« Bonjour, madame Jacquet ! dit une femme à la voix douce. Je m'appelle Martine Lecœur et je travaille pour le journal

local, *L'Écho.* Je voudrais que vous me parliez de votre fille... »

Martine Lecœur regarda Julie, qui était assise entre ses deux parents, vêtue de sa plus jolie robe et de ses souliers vernis. Comment une si petite fille aurait-elle pu arrêter un camion ? Elle n'avait même pas l'air assez forte pour retenir une bicyclette !

« C'est une blague, n'est-ce pas ? demanda la journaliste. Je suis désolée de vous faire perdre votre temps. C'est mon premier reportage, et j'imagine que mes collègues m'ont fait une farce en m'envoyant chez vous.

— Non, répondit Papa. Ce n'est pas une blague.

— Robert, chuchota Maman, ne parlons pas de ça...

— Nous n'avons plus rien à cacher, Josiane, continua Papa. Maintenant tout le monde est au courant. Nous allons expliquer ce qui se passe à cette demoiselle, et elle publiera la vérité. »

Voilà comment Martine Lecœur devint célèbre dans le monde du journalisme. Un photographe de *L'Écho* vint prendre une photo de Julie soulevant la Ford Cortina. Elle fit la une de la presse locale, puis de la presse nationale.

Le lendemain, une équipe de télévision vint filmer le phénomène. Le journaliste portait des lunettes à la mode.

« Il faut qu'on filme ça, dit-il. Et je veux savoir quel est le truc.

— Il n'y a pas de truc, dit Julie. C'est un don que j'ai. »

Le journaliste de télévision se mit à ricaner et se tourna vers le père de Julie.

« On ne me la fait pas, à moi. Je rentre d'Inde où je devais filmer un éléphant en train de soulever une voiture. Mais devant moi, l'animal n'a rien pu ou rien voulu soulever. Et tout le village répétait qu'il avait déplacé des voitures deux jours avant... Alors je suis rentré sans rien. Et je parie, ajouta-t-il en jetant un coup d'œil désabusé à Julie, que je viens de retomber dans le même genre de piège !

— Est-ce que je peux mettre d'autres vêtements avant de soulever la voiture ? demanda Julie.

— Fais ce que tu veux, dit le journaliste en essuyant ses lunettes. Je suis sûr que ça ne changera rien.

— Attention, lui murmura Papa. Je pense que vous allez avoir un choc. »

Julie redescendit avec sa plus jolie robe

de fête, et sur la tête un vieux chapeau de sa maman. En la voyant, le journaliste ne sut pas s'il devait rire ou pleurer.

« J'en ai assez de toujours soulever la même voiture, déclara Julie. Si ça ne vous fait rien, j'aimerais essayer avec un autobus.

— Un autobus, répéta le journaliste. Ben voyons. Allons-y pour l'autobus ! »

Ils partirent tous pour la station la plus proche. Beaucoup de bus à l'arrêt les attendaient.

« Alors, demanda le journaliste, lequel tu prends ? Je n'ai pas toute la journée, moi ! »

Le choix de Julie se porta sur un autobus vert à deux étages entièrement vide. C'était la première fois qu'elle essayait de soulever quelque chose d'aussi lourd. Elle passa par l'avant et le hissa sans peine sur son épaule. Il n'était pas plus lourd qu'un sac à dos vide. Puis elle le repoussa des deux mains jusqu'à le tenir à bout de bras.

« Extraordinaire ! Hallucinant ! » s'écria le journaliste.

Il semblait avoir repris goût à la vie.

« Je suis actuellement à la station d'autobus avec Julie Jacquet qui a huit ans et qui est sans doute la petite fille la plus forte du pays, que dis-je la plus forte du monde, de l'univers ! »

Julie était ravie. Elle garda le bus en équilibre sur une main et, de l'autre, changea l'inclinaison de son chapeau. Elle voulait être jolie : c'était la première fois qu'elle passait à la télévision.

Le soir, aux informations, la nouvelle principale était l'histoire de Julie, la petite fille la plus forte du monde.

7

La compétition

Stanley Arnold était assis devant sa télévision. Il venait de gagner le concours de l'homme le plus fort du pays. L'histoire de Julie Jacquet ne l'amusait pas du tout. Qui était cette petite fille qui lui faisait l'affront de soulever des voitures et des autobus ? Il appela son agent.

« Qu'est-ce que c'est que cette histoire, et qui est cette Julie Jacquet ? »

L'agent répondit par une série de petits cris effrayés.

« Je me moque de vos explications, reprit Stanley. Je vais montrer à tout le monde que

cette mijaurée n'est pas plus forte que
moi. »

Encore une série de petits cris.

« Personne, je répète, personne ne peut
me battre. Je suis l'homme le plus fort du
pays. Débrouille-toi pour organiser une

compétition, et je ridiculiserai cette mauviette ! »

Stanley Arnold avait toujours le dernier mot.

« Ma puce, tu n'es pas obligée de participer à cette compétition, expliqua Papa à Julie.

— Mais si ! Je suis fâchée, il m'a traitée de mauviette !

— Je le tuerai ! gronda Louis. Personne n'a le droit d'insulter ma petite sœur.

— Calmons-nous, intervint Maman. Julie n'est pas obligée d'entrer dans la compétition. Elle n'a rien à prouver à personne.

— Surtout pas à Stanley Arnold ! » ajouta Papa.

Mais Julie avait envie de mener la bataille. L'idée l'amusait et lui donnait des frissons agréables.

Stanley Arnold se prépara en s'entraînant tous les jours à la salle de gymnastique. Julie alla faire des achats et revint avec une jolie paire de chaussures dont elle rêvait depuis longtemps.

Le jour de la compétition arriva. Elle devait avoir lieu dans un stade de football, pour que tous les spectateurs puissent y assister. Stanley Arnold vint avec son agent, son entraîneur sportif, sa chargée de relations publiques et son fan club. Julie avec Maman, Papa et Louis.

« Suffit de regarder pour savoir qui va gagner, dit Papa. Julie, ne te fais pas de mal. Tu peux arrêter la compétition quand tu veux. »

Trois épreuves étaient prévues : les concurrents devaient d'abord traîner une voiture sur une distance de trois mètres, puis jeter un tonneau par-dessus un mur, et enfin s'affronter en tirant sur une corde.

Stanley Arnold commença. Il tira la voiture, le visage écarlate, les muscles tendus à se rompre. Il parvint à la traîner jusqu'à la ligne d'arrivée ; le public applaudit fréné-

tiquement et un commentateur déclara
qu'il avait battu son record personnel.

Puis ce fut au tour de Julie. Elle s'avança
vers la voiture en mangeant une sucette.
Elle avait déjà soulevé quelques véhicules,
mais jamais en marchant. Le public fit
silence. Julie souleva l'auto d'une seule
main, comme un serveur de café porte un

plateau. Elle dépassa la voiture de Stanley
et amena la sienne jusqu'au bout du terrain
de football, tout en continuant à manger sa
sucette. Le public délirait de joie. Stanley
Arnold n'en croyait pas ses yeux. Le commentateur déclara que Julie Jacquet venait
de pulvériser tous les records du monde.

L'épreuve suivante consistait à lancer un
tonneau par-dessus un mur. C'était la spé-
cialité de Stanley Arnold, celle qui l'avait
rendu célèbre. Il prit son élan et, poussant
un grondement retentissant, jeta le tonneau

en l'air. Celui-ci fit un tour sur lui-même avant de retomber de l'autre côté du mur à grand bruit. Le public applaudit et le commentateur s'exclama : « M. Arnold vient d'établir un nouveau record du monde ! »

Puis ce fut au tour de Julie. Elle saisit le tonneau et le lança comme une balle de tennis. Celui-ci tournoya plusieurs fois sur lui-même tout en s'élevant de plus en plus haut, tellement haut qu'on ne le voyait plus. Puis il retomba comme une fusée et creusa

un énorme cratère dans le sol. Le public demeura silencieux. D'une voix stupéfaite, le commentateur déclara : « Julie Jacquet vient de pulvériser tous les records ! »

L'épreuve décisive était celle de la corde. Stanley Arnold s'enduisit les mains de craie pour qu'elles accrochent et fit quelques exercices musculaires. Julie remonta ses chaussettes.

Julie prit une corde très épaisse par un bout et, avant qu'on dise « Partez ! », Stan-

ley Arnold tira de toutes ses forces. Julie
tomba à terre et s'écorcha le genou. La
foule pousse un « Hou ! » de réprobation.

L'arbitre s'avança et Julie se releva,
fâchée contre Stanley Arnold. Quel mal-
poli !

« Un, deux, trois... Partez ! » cria
l'arbitre.

Julie saisit la corde. Le frisson de force

qui passa dans ses bras fut tellement puissant que, à l'autre bout, Stanley Arnold n'était pas plus lourd qu'un cerf-volant. L'homme le plus fort du pays s'éleva en l'air et se mit à tournoyer au-dessus du stade.

C'était une victoire sensationnelle. Cette fois, le doute n'était plus permis : Julie Jacquet était la plus forte.

Stanley Arnold remonta dans sa grosse voiture et rentra chez lui en marmonnant que cette compétition avec un monstre avait attenté à sa dignité.

8

Marco Doubleveste

Julie était toujours la même mais sa vie avait complètement changé. Avant, elle avait du temps pour voir ses amis et regarder des vidéos avec son frère. Maintenant, il ne se passait pas un jour sans que quelqu'un lui demande de démontrer son extraordinaire puissance.

Au début, cela l'amusait. Mme Legrand et le directeur de l'école s'étaient excusés de ne pas l'avoir crue. Ses camarades de classe ne se moquaient plus d'elle. Au fond elle était devenue une star, tout le monde l'admirait sauf une personne, celle dont l'avis comptait le plus : son frère Louis.

Il n'avait pas l'air impressionné du tout par sa force et passait son temps à se moquer d'elle : « Ce n'est pas sorcier de soulever des voitures », ou encore : « Tu vas finir avec des gros bras, comme Popeye. »

Les exploits de Julie ne lui plaisaient pas. Il en avait assez que tout le monde parle de sa petite sœur. Au fond, il était vert de jalousie. Avant, c'était lui qui la protégeait. Mais comment fait-on pour protéger la fille la plus forte du monde ? Seul le grand frère de Superman aurait pu comprendre ce qu'il ressentait... Sauf que Superman n'avait pas de grand frère.

C'est alors qu'on leur fit une proposition qui devait changer la vie de toute la famille. Un certain M. Doubleveste arriva en avion de New York voir de ses yeux les exploits de Julie. Les Jacquet n'avaient jamais vu quelqu'un qui ressemble à M. Doubleveste. Il avait le visage comme une pomme de terre et une fleur artificielle à la place du cœur.

« Voici ce que je vous propose, déclara-
t-il en souriant de toutes ses dents en or. Je
vous emmène à New York pour faire du
shopping ! »

Il sortit de sa poche une grosse enve-
loppe pleine de billets de banque.

« La gloire et la fortune sont à vous, monsieur et madame Jacquet. Signez ici, au bas du contrat. »

Le père de Julie signa tout de suite. Il n'avait jamais vu l'Amérique

9

L'Amérique !

New York, quelle ville incroyable... Les immeubles y sont si hauts qu'ils bavardent avec les étoiles.

« C'est énorme ici », disait Louis.

Ils étaient installés à l'hôtel Plaza, dans une suite rien que pour eux.

« C'est plus grand que chez nous ! » s'émerveillait Maman.

Il y avait des fleurs partout. Une baignoire grande comme une piscine. Il n'avaient qu'à téléphoner pour qu'on leur monte à manger.

« Voilà ce que j'appelle la vraie vie », disait Papa.

Marco Doubleveste avait engagé pour Julie une attachée de presse, une styliste, un coiffeur, une manucure, un professeur de gymnastique et un chauffeur qui les emmenait où ils voulaient dans une immense limousine.

Julie était méconnaissable avec les cheveux gonflés et une robe bouffante à paillettes. Maman et Papa aussi avaient changé d'apparence. Seul Louis demeurait comme avant.

« Qu'est-ce qu'ils t'ont fait, Julie ? Tu as l'air d'une poupée ambulante ! » disait-il.

Julie pensait secrètement qu'il avait raison mais elle ne voulait rien laisser paraître.

« Non, moi je me trouve bien, répondit-elle.

— Bien ridicule ! compléta Louis.

— Ça suffit, coupa M. Doubleveste. Moi j'adore le nouveau look de Julie, et il passera très bien en photo. Le public sera fou d'elle. Nous vendrons des milliers de poupées à son effigie ! »

Julie ne se sentait pas très bien. Elle n'était plus elle-même.

Le lendemain, on la photographia en train de soulever une voiture devant le Plaza. La photo fit la une de plusieurs journaux, avec ce titre : « Julie Jacquet, huit ans, défie l'Amérique. Qui pourra faire mieux ? »

10

À la mer

De nombreux concurrents se portèrent volontaires contre Julie. M. Doubleveste surveillait les paris.

Le premier concours se déroulait sur une plage de Long Island. Vêtue d'un maillot de bain de haute couture et d'un chapeau à fleurs, Julie devait battre le record du monde en transportant à la nage des barils pleins de ciment depuis un radeau amarré dans la baie jusqu'au rivage. Maman ne voulait pas qu'elle le fasse.

« Elle va se noyer, Robert ! Les barils sont trop lourds.

— Josiane, répondit Papa avec agace-

ment, Julie en est tout à fait capable. Un baril de ciment est moins lourd qu'une voiture ! »

Seul problème : le radeau était amarré trop loin et Julie n'avait pas pied. On le rapprocha un peu et, en quelques minutes, la petite fille empila les barils en un joli mur. Il fallut une grue pour les ramener à terre.

« Tout se passe à merveille, dit Marco Doubleveste. Demain, ma petite princesse, tu tireras un camion. Ça les épatera tous. »

Julie l'écoutait à peine. Elle n'avait qu'une envie : aller nager avec Louis.

« Le dernier à l'eau est une patate ! » s'écria-t-elle en prenant son élan pour se jeter dans la mer.

Mais Marco Doubleveste l'attrapa par le bras.

« Du calme, princesse. La petite fille la plus forte du monde ne peut pas jouer. Elle doit faire de la gymnastique. C'est pour ça que j'ai engagé ton entraîneur. »

Julie n'avait jamais aimé les cours de gym. Elle savait bien que sa force ne venait pas de là.

11

Le cheval

Puis un certain Sam Arizona se présenta pour relever le défi. Il avait beaucoup, beaucoup d'argent, et il paria que Julie ne serait pas capable de soulever son cheval. Le jour de la compétition, la foule se réunit dans le ranch de Sam Arizona. Une équipe de télévision couvrait l'événement. Sam était grand, son cheval aussi, et Julie toute petite. M. Doubleveste frotta ses mains potelées l'une contre l'autre.

« Ça va faire une photo formidable ! Mais la prochaine fois, je veux la voir en robe de haute couture !

— Ce n'est pas la robe qui m'inquiète, dit Maman. C'est le cheval.

— Cessez donc de gémir tout le temps, madame Jacquet, souriez plutôt. Vous êtes filmée ! » l'admonesta M. Doubleveste avec un sourire faux.

Mais Maman, trop inquiète, n'arrivait pas à sourire.

« Julie risque de se blesser ! » protesta-t-elle.

M. Doubleveste ne l'écoutait pas. Il pensait déjà à l'avenir, à tout l'argent qu'il allait gagner. La petite fille la plus forte du monde allait faire de lui l'homme le plus riche du monde.

Le cheval était calme et bien dressé. Il avait l'habitude d'obéir à Sam Arizona. Celui-ci se glissa sous sa monture et, rouge et enflé comme un dindon, réussit à soulever ses sabots de quelques centimètres. La foule applaudit poliment, l'animal semblait déçu. Sam Arizona poussa un petit cri de victoire. Il était célèbre dans la région comme le seul homme capable de soulever son cheval.

« Alors, petite fille, tu crois pouvoir me battre ? » ricana-t-il.

Julie n'était pas sûre d'elle. Son père tenta de l'encourager.

« Tu vas y arriver, ma puce ! »

Mais il n'y croyait guère : il n'avait jamais vu sa fille porter un animal vivant.

Soudain, M. Doubleveste fut envahi par

un doute affreux. Il risquait de perdre beaucoup d'argent. Non, ce n'était pas acceptable ! Pas question qu'un simple cheval fasse obstacle à ses rêves de fortune et de gloire.

« Soulève-moi ce canasson, Julie ! hurla-t-il. C'est un ordre.

— C'est de la folie, dit Sam Arizona. Cette maigrichonne ne pourrait même pas porter une barre chocolatée. Allons, signez-moi mon chèque et qu'on en finisse. »

Alors le cheval se pencha et murmura quelque chose à l'oreille de Julie. Et, à l'étonnement général, elle le souleva par les pattes arrière, aussi haut qu'elle le put, c'est-à-dire beaucoup plus haut que Sam Arizona. Le cheval hennit. Il avait attendu ce moment toute sa vie. Il s'éleva dans une ruade élégante, assuré que Julie le tenait fermement, et il resta dans cette posture pendant quelques secondes. La foule hurlait de joie. Les caméras de télé filmaient à perdre haleine. Enfin, avec un sourire, Julie reposa le cheval à terre.

Sam Arizona semblait avoir rétréci. Il tendit une grosse somme d'argent à M. Doubleveste. Le cheval, au contraire, semblait tout content. Il avait hâte de raconter cette journée à ses copains de l'écurie.

12

La dispute

Bientôt il devint clair que M. Doubleveste exhibait Julie et sa famille comme un numéro de cirque. Chaque jour, une nouvelle ville, un nouveau défi. Le temps passait si vite qu'on ne distinguait plus les défis les uns des autres. Ils se mélangeaient en une seule grosse tache.

Au début, Papa aimait bien toute cette agitation. Il considérait sa fille comme une star et la poussait sans cesse à inventer des exploits plus forts que les précédents. Mais bientôt, comme Maman, il commença à s'inquiéter des risques que prenait leur fille.

Les parents de Julie sentaient tous les deux que les choses étaient en train de leur échapper, et ils voulaient que cela s'arrête.

Louis ne demandait pas mieux. Il rêvait de rentrer et de retrouver ses amis. Il n'aimait pas vivre dans l'aquarium de la vie publique. Quant à Julie, la vedette, elle avait envie de faire des choses utiles plutôt que de relever des défis qui ne faisaient de bien à personne. Superman sauvait les gens ! À quoi bon être un super-héros si c'est seulement pour se donner en spectacle ? Elle en avait assez, elle aussi voulait rentrer.

« Comment un don aussi formidable peut-il nous entraîner dans des actions aussi minables ? » demanda-t-elle tristement à Louis.

Ils se trouvaient dans leur chambre à l'hôtel, et ils entendaient leurs parents se disputer dans la pièce voisine.

Maman criait :

« Assez, c'est assez ! »

Papa lui répondit des choses indistinctes, puis elle reprit : « Et ton garage ? Si tes clients s'aperçoivent que leurs voitures n'ont pas été réparées, tu vas les perdre !

— Je sais, Josiane ! Mais qu'est-ce qu'on peut faire ? »

Ils décidèrent finalement de dire à M. Doubleveste qu'ils voulaient rentrer.

13

Prisonniers !

« Rentrer ? répéta M. Doubleveste en faisant rouler le mot dans sa bouche comme un énorme caramel. Rentrer ? »

Il jeta un regard menaçant à Julie.

« Impossible, annonça-t-il froidement. Vous m'appartenez, tous les quatre. Je suis président de la Société Julie Jacquet. C'est vous monsieur, ajouta-t-il en désignant Papa, qui avez signé le contrat. Et je vous préviens que, si vous ne le respectez pas, je vous ferai un procès, et vous perdrez jusqu'à votre dernier sou. C'est clair ? »

C'était très clair. La famille entière était prisonnière de M. Doubleveste. En un clin d'œil, il envoya Maman et Papa en Floride, dans un Foyer pour Parents Énervants et Casse-pieds. Ils n'eurent même pas le temps d'embrasser leurs enfants. Louis eut le droit de rester avec sa sœur, à condition qu'ils soient sages.

Ils restèrent donc tous les deux, enfermés au douzième étage du Plaza, sans pouvoir rentrer chez eux.

Julie était tellement malheureuse que son frère la prit dans ses bras.

« Ne t'inquiète pas, la rassura-t-il. Je suis avec toi, et crois-moi, on va s'en sortir. »

14

Une maison légère comme tout !

Louis avait une idée très simple : à la première occasion, Julie devrait parler aux journalistes de la télévision pour les avertir de ce qui se passait, exiger qu'on leur rende leurs parents et qu'on les laisse rentrer en France.

Le lendemain, M. Doubleveste, très excité, leur fit part d'une grande nouvelle.

« J'ai un contrat sensationnel ! Une marque de céréales veut que Julie soit la vedette de sa publicité. Il suffit de soulever une maison de trois étages mobilier compris, et d'aller la reposer un peu plus loin.

— Pourquoi ? demanda Louis. C'est débile !

— Écoute, petit malin, tu commences à m'embêter, menaça M. Doubleveste. Si tu ne peux pas tenir ta langue, je t'enverrai quelque part, toi aussi.

— Non ! s'écria Julie.

— Désolé », murmura Louis.

M. Doubleveste se tourna vers Julie.

« Le tournage commence cet après-midi, et je veux que tu te fasses belle, princesse. Cette fois c'est du sérieux : on va à Hollywood ! »

Ce n'était pas facile de soulever la maison. Non pas à cause de la taille du bâtiment : Julie était devenue tellement forte qu'une maison de trois étages ne lui faisait pas peur. Mais on avait creusé un tunnel pour qu'elle puisse se glisser sous la maison et la soulever depuis ses fondations. Elle se disait qu'un tas d'insectes devaient grouiller là-dessous, comme quand on soulève une pierre. M. Doubleveste ne voulait rien entendre.

« Arrête de faire la mijaurée ! tonna-t-il. La fille la plus forte du monde n'a pas peur des insectes ! Un point c'est tout !

— On va tourner maintenant, annonça la metteuse en scène. Passez à l'action, s'il vous plaît.

— Je vais descendre dans le tunnel avec ma sœur, décida Louis.

— Oh, merci ! » s'exclama Julie en lui serrant la main.

Louis se glissa dans le tunnel, avec une torche, pour s'assurer qu'il n'y avait pas d'araignées. Julie le suivit. Il regarda sa petite sœur avec inquiétude : elle était si menue, et la maison semblait si lourde... Il allait dire : « Tu ne peux pas faire ça », lorsqu'il s'aperçut que la lumière du soleil était revenue.

Julie avait posé la maison en équilibre sur ses épaules. Ce n'était pas lourd, simplement un peu difficile à manœuvrer en marchant. Louis la guidait avec précaution.

« Un peu plus par ici... Oui, c'est très bien ! »

Julie parvint à apporter la maison de l'autre côté de la rue. Sur le nouveau terrain, la propriétaire de la maison les attendait. Elle savait exactement ce qu'elle voulait :

« Non, ma puce, ne la mets pas ici, je la veux un peu plus à gauche, dit-elle.

— Écoutez, intervint Louis, c'est une maison de trois étages que ma sœur est en train de porter, pas une chaise en plastique ! »

Julie posa la maison sans casser un seul carreau.

« Coupez ! cria la metteuse en scène. C'était parfait. Très bien, le grand frère en train d'aider la petite sœur. Très touchant.

— L'affaire est dans le sac ! jubilait M. Doubleveste. L'agence de publicité a adoré. Dans deux jours, nous partons pour Hollywood. »

Louis et Julie n'étaient pas ravis. Il n'y avait pas de caméras de télé, pas de journalistes à qui parler. Pour le moment, leur plan n'avait pas marché.

« Nous aurons sûrement une autre chance demain, déclara Louis. Ne perdons pas l'espoir. »

15

L'évasion

La chance se présenta plus tôt que prévu. Le lendemain même, une catastrophe se produisit à New York : un des câbles qui soutenaient le pont de Brooklyn se détacha. Des dizaines de voitures et de bus étaient bloqués, personne n'osait avancer, de peur de faire s'écrouler le pont. Les bulletins d'information se succédaient à la télévision, la ville était paralysée. À l'hôtel Plaza, Julie et Louis étaient collés devant l'écran de la télévision.

« Les pauvres gens ! soupira Julie. Qu'est-ce qui va leur arriver ?

— Éteignez-moi ça ! gronda M. Doubleveste. Nous avons du travail. Un imbécile m'a appelé pour te mettre au défi de soulever le cartable de son fils. Quel abruti ! Ce sera aussi facile que de voler son biberon à un bébé !

— Pourquoi est-ce qu'il veut que je fasse ça ? demanda Julie. C'est absurde.

— Parce qu'il pense qu'un jour ta force risque de disparaître. Il n'y connaît rien.

— Et ces gens sur le pont ? remarqua Louis. On ne va rien faire pour eux ?

— Je ne veux rien savoir, répliqua Doubleveste. Il n'y a pas d'argent à gagner là-dedans. »

Julie jeta un coup d'œil à son frère.

« Ils ont des bonbons délicieux à la réception. Tu m'accompagnes en chercher. »

M. Doubleveste fit un geste pour les arrêter, mais son téléphone sonna. Julie et Louis étaient déjà dans l'ascenseur.

« J'ai une idée, expliqua Julie à son frère. Je ne sais pas si je pourrai le faire, mais je veux essayer d'aider ces pauvres gens sur le pont. »

Louis hocha la tête. Il y avait pensé en voyant la catastrophe à la télé, mais le pont était vraiment immense.

« Julie, ce serait formidable. Mais tu crois vraiment que tu peux ?

— Je n'en sais rien. En tout cas, ça vaut le coup d'essayer.

— Je suis d'accord ! »

Le hall d'entrée de l'hôtel était plein de gens qui attendaient des nouvelles du pont. Julie et Louis se frayèrent un chemin jusqu'au portier. Ils lui faisaient confiance à cause de son visage avenant.

Le portier mit un moment à comprendre ce que les deux enfants lui racontaient. Lorsque enfin il se rendit compte que la toute petite fille en face de lui voulait aider les victimes de l'accident, il faillit éclater de rire. Puis il comprit qu'il n'y avait pas de quoi lire et qu'il avait devant lui Julie Jacquet, la petite fille la plus forte du monde.

Peut-être avait-elle raison de vouloir intervenir.

« Et votre impresario, qu'est-ce qu'il va penser ? demanda-t-il.

— Je vous en prie, ne lui dites rien, intervint Louis. Si jamais il apprend que Julie offre sa force bénévolement, il va piquer une crise de nerfs. »

Le portier jeta un coup d'œil autour de lui, puis les fit entrer dans une petite pièce, en leur demandant de patienter sagement.

Louis et Julie attendirent longtemps.

« Je suis sûr qu'il a appelé M. Doubleveste, dit Louis. Nous allons avoir des ennuis. »

À ce moment, la porte se rouvrit et le portier leur fit signe de ne pas faire de bruit.

« Attention ! les avertit-il. M. Doubleveste est sur le sentier de la guerre, il vous cherche. Je vais vous aider. »

Il les accompagna dehors. À leur grande surprise, un hélicoptère les attendait devant l'hôtel. Les deux enfants montèrent dans la

116

cabine, on referma la porte et bientôt l'hélicoptère s'éleva dans le ciel. En bas, tout
petit, M. Doubleveste, très en colère, agitait
les bras.

Julie fut réconfortée de le voir aussi petit
qu'une fourmi.

16

Julie à la rescousse

Le chef des forces de secours s'appelait Gary Griffen. Il avait à sa disposition toute une brigade de pompiers, la police, des ambulances et plusieurs hélicoptères, mais il ne pouvait intervenir. Le pont tenait en équilibre fragile, aussi instable que sur la pointe d'un couteau. S'il tentait d'évacuer les gens en hélicoptère, il risquait de créer un mouvement de panique qui ferait s'écrouler le pont. En plus, la marée montante se préparait.

Gary Griffen avait bien des soucis. Et surtout nul besoin d'une petite fille de huit ans débarquant d'un hélicoptère avec son frère.

« C'est une catastrophe nationale, pas une cour de récréation, déclara-t-il.

— Je suis Julie Jacquet », rétorqua fermement Julie.

Certes, il avait entendu parler d'elle. La gamine en robe à frou-frou qui soulevait des voitures. Mais il s'agissait d'un immense pont, pas d'un autobus, et Gary Griffen ne voulait pas prendre de risques.

« La seule chose dont j'aie besoin, c'est d'un appareil assez puissant et délicat pour retendre le câble, une grue par exemple, qui arrive avant la marée haute. Je n'ai que faire d'une gamine de huit ans. »

À cet instant son portable sonna. On lui annonçait que la grue ne pourrait pas être là avant trois heures.

« Catastrophe ! s'exclama Gary. Nous n'avons pas de grue, rien que cette petite fille. »

Il regarda Julie. C'était de la folie. Gary

avait quatre enfants et il savait très bien de quoi les petites filles sont capables. D'après lui, elles savaient faire des choses formidables, mais sûrement pas soulever le pont de Brooklyn !

« Écoutez, intervint Louis, je ne vous garantis pas qu'elle réussira, mais ça vaut la peine d'essayer ! »

Gary se gratta la tête. Après tout, il n'avait rien à perdre, et aucune autre solution en vue.

On enfila à Julie des vêtements de pompier, trop grands pour elle. Louis insista pour l'accompagner.

« Je ne laisserai pas ma sœur toute seule.

— Nous formons une équipe », expliqua Julie avec fierté.

On les conduisit sur la pile supérieure du pont. Julie vit tout de suite quel câble avait lâché. Très loin dessous, le pont vacillait dangereusement dans le vent. Les câbles grinçaient à grand bruit comme s'ils s'apprêtaient à se briser. C'était terrifiant.

Un doute s'empara de Julie. Le pont était énorme. Sa force se révèlerait-elle suffisante ?

Louis lui serra doucement la main.

« Bonne chance », murmura-t-il.

C'est alors qu'un frisson de puissance traversa les bras de la petite fille, beaucoup plus intense que le jour où David Dumont était coincé entre les barreaux, beaucoup plus puissant que tout ce qu'elle avait connu jusque-là.

Julie écarta les jambes, saisit l'extrémité du câble et s'apprêta à tirer. Gary Griffen regarda cette petite fille mince comme un haricot vert qui s'apprêtait à hisser l'immense pont. C'était de la folie. Mais au moment où il allait crier : « Arrêtons tout, ça ne marchera jamais », il se rendit compte que la petite Julie avait déjà redressé le pont. « Vite, évacuons tout le monde ! » ordonna Gary. Le pont était lourd, mais Julie parvint à le maintenir d'aplomb pendant que les services de secours dirigeaient les voitures vers les deux rives.

Louis ne cessait d'encourager sa sœur.

« C'est formidable, ce que tu es en train de faire ! »

Il n'avait jamais été si fier d'elle que ce jour-là.

Julie soutint le pont pendant quarante minutes. Lorsqu'elle le relâcha, tout le monde applaudit et poussa des cris d'admiration. Gary Griffen la hissa sur ses épaules et les journalistes de la télévision se précipitèrent pour l'interviewer.

« Comment tu te sens ? criaient-ils en lui braquant des caméras et des micros sur la figure.

— Je suis contente que ma force ait servi à faire le bien, répondit Julie. Car depuis que je suis ici, ajouta-t-elle courageusement, je n'ai fait que des compétitions idiotes.

— Vous devez pourtant être contente de

l'argent et du succès que ces défis vous ont rapportés ! » protesta une journaliste.

Louis décida alors de prendre la parole, il expliqua aux journalistes que M. Doubleveste les gardait prisonniers.

« Bravo ! s'exclama Julie. Tu as bien fait de le dire à tout le monde ! Maintenant, Papa et Maman vont pouvoir nous retrouver et nous rentrerons chez nous. »

Malheureusement, l'appel au secours de Louis fut supprimé : c'était l'heure de la publicité.

17

Un coup de fil inespéré

Lorsqu'ils retournèrent au Plaza, M. Doubleveste était prêt à exploser de rage.

« Vous avez quitté l'hôtel sans ma permission, pour aller réparer cette saleté de pont, tout ça sans gagner un centime alors que nous aurions pu ramasser un milliard de dollars ! »

Il les enferma dans la chambre et les priva de dîner et de télévision. Ils étaient très déprimés. Mais soudain le téléphone sonna, et Julie alla répondre. À sa grande surprise, Stanley Arnold voulait lui parler. De passage en Floride pour un concours de lancer de tonneaux, il venait d'apprendre son exploit

en regardant la télévision. Il appelait pour féliciter « la petite Julie Jacquet », et pour lui demander si elle avait besoin de quelque chose. Il se mettait à sa disposition. Julie lui raconta les mauvais traitements que M. Doubleveste leur infligeait, et comment ses parents avaient été enfermés.

Stanley Arnold ne prononça pas de grands discours.

« Je vous dis à demain, les enfants », promit-il.

18

Tout est bien qui finit bien

Le lendemain, en se réveillant, Julie se sentit changée. Ses os lui parurent d'une lourdeur inhabituelle, comme s'ils étaient en plomb. Elle se leva et comprit tout de suite ce qui lui arrivait : sa force avait disparu, aussi soudainement qu'elle était venue. Elle ne pouvait même plus soulever une chaise.

« Je ne suis plus capable de relever les défis, monsieur Doubleveste ! »

Mais l'impresario n'était pas d'humeur à l'écouter. Il voulait la voir dans le jardin, avec sa plus jolie robe, d'ici quinze minutes.

« Tu n'auras qu'un petit sac à dos à soulever », l'informa-t-il.

Julie se sentait toute petite. Elle aurait voulu retrouver ses parents, rentrer chez

elle. Louis la trouva en larmes. Il s'aperçut tout de suite qu'elle avait changé.

« Louis, j'ai perdu toute ma force, annonça-t-elle.

— Ce n'est pas grave. Au moins, tu ne seras plus obligée de faire des compétitions à la noix.

— J'ai essayé de prévenir M. Double-veste, sanglota la petite fille, mais il ne m'a pas m'écoutée. Il veut que je sois dans le jar-

din d'ici un quart d'heure. Qu'est-ce que je peux faire ? »

Louis essuya les yeux de sa petite sœur.

« Tu avais une force formidable, mais maintenant qu'elle est partie, tu es toujours la même, Julie. Et M. Doubleveste n'aura plus besoin de nous. Nous allons pouvoir rentrer à la maison !

— Tu crois ? dit Julie en souriant à travers ses larmes.

— Mais bien sûr ! Je suis content que ta force ait disparu ! »

Il la prit par la main et, ensemble, ils descendirent au jardin.

Ils y trouvèrent un grand jeune homme de quinze ans, tout en bras et en jambes, avec des boutons sur la figure. Son père, très grand lui aussi, l'accompagnait. Le sac à dos était bourré de dictionnaires très lourds.

Lorsque Julie essaya de le porter, elle ne parvint même pas à le soulever.

Les clients de l'hôtel qui s'étaient rassemblés pour admirer son exploit poussèrent un cri de surprise. Puis M. Doubleveste cria :

« Arrête de faire l'idiote ! Soulève-moi ce sac ! »

C'est alors que Papa apparut au premier rang de la foule. Julie n'en croyait pas ses yeux. Elle courut se jeter dans ses bras, le visage ruisselant de larmes.

« Oh, Papa, je n'ai plus de force !

— Aucune importance, ma puce. Ça ne fait rien. Allons, Louis, rentrons chez nous. »

Papa prit Julie dans ses bras et l'emmena voir Maman qui l'attendait au bout du jardin en compagnie de Stanley Arnold. Louis et Julie étaient heureux de les voir.

« Merci, merci, merci ! » disait Louis à Stanley.

M. Doubleveste interrompit ces retrouvailles.

« Venez par ici, ordonna-t-il. Je crois que nous avons à parler. »

Maman, Papa, Julie, Louis et Stanley

Arnold prirent l'ascenseur avec M. Double-veste pour monter dans leur suite.

« Vous, sortez de cette pièce ! s'exclama Doubleveste en désignant Stanley.

— Ça tombe bien, répondit celui-ci. J'attends justement un ami. Je resterai dans le couloir jusqu'à ce qu'il arrive »

Il sortit. Papa s'adressa à M. Double-veste :

« Nous voulons rentrer chez nous. J'en ai par-dessus la tête de vos combines. Votre contrat ne prévoyait pas que Julie allait perdre sa force.

— Vous vous croyez malin, répliqua Marco Doubleveste. Un petit voyage en avion avec ce Stanley Arnold, et vous voilà devenu expert en contrats ? Bien sûr, vous pourrez rentrer chez vous... une fois que vous aurez payé les factures !

— Quelles factures ? demanda Maman. Julie vous a fait gagner beaucoup d'argent. Je pense que c'est plutôt vous qui nous en devez.

— Très drôle, rétorqua M. Doubleveste sans l'ombre d'un sourire. Je viens justement de faire un chèque d'un demi-million de dollars à l'homme au sac à dos. Combien pensez-vous que ça coûte, cette suite au Plaza ? et vos vacances en Floride, les vêtements de Julie, son coiffeur, sa nourriture, son professeur de gymnastique ? Qui paie tout ça ? Mais vous, bande d'imbéciles ! »

Il lui tendit une longue facture.

« Voilà ce que vous me devez ! »

Maman et Papa devinrent livides. Ils n'avaient jamais vu autant de zéros de toute leur vie.

« Il doit y avoir une erreur. Je ne peux pas vous devoir tout ça ! protesta Papa.

— Croyez-moi ! » rétorqua M. Double-veste.

À ce moment-là, Stanley Arnold entra dans la pièce, suivi d'un monsieur en costume qui portait de fines lunettes cerclées d'or.

« Je vous présente mon avocat », annonça Stanley.

M. Doubleveste allait l'envoyer promener mais il préféra se taire. Mieux valait ne pas trop énerver un type grand et fort comme ce Stanley Arnold.

« Le contrat, je vous prie », dit l'expert.

Doubleveste le lui tendit. L'avocat l'étudia quelques instants.

« Je vous suggère que nous allions parler dans la pièce à côté. »

En compagnie de Stanley, toute la famille

Jacquet attendit avec anxiété l'issue de cette entrevue. De temps en temps on entendait des éclats de voix, puis un silence soudain. Au bout de ce qui leur parut être une éternité, l'avocat revint.

« J'ai une mauvaise et une bonne nouvelle, annonça-t-il. La bonne, c'est que vous ne devez rien à M. Doubleveste. »

Maman et Papa poussèrent une exclamation de joie.

« La mauvaise, c'est que le contrat était à votre désavantage, et que lui non plus ne vous doit rien, sauf votre billet de retour. Je suis désolé de n'avoir pas pu faire plus.

— Merci infiniment, dit Papa. L'argent n'a pas d'importance. Nous voulons seulement partir d'ici. »

Stanley Arnold serra la main de Julie.

« Tu es une petite fille très forte, même si en apparence ton don a disparu, affirma-t-il. Je te souhaite beaucoup de bonheur, Julie. Et quant à toi, Louis, je te tire mon chapeau pour t'être aussi bien occupé d'elle ! »

— Nous sommes fiers de vous ! » ajou-
tèrent Maman et Papa.

M. Doubleveste leur trouva des places
sur un avion qui partait le jour même. Il
avait hâte de se débarrasser d'eux. Il venait
d'entendre parler d'un petit garçon russe
qui pouvait voler.

Julie resta assise dans le hall avec sa mère
pendant que son père allait chercher un
taxi. M. Doubleveste leur avait retiré la
limousine.

« Que font tous ces gens ? » demanda
Maman.

Une foule s'approchait d'eux, au milieu
desquels Julie reconnut le visage de Gary
Griffen. Il était accompagné d'un monsieur
qui semblait très important.

« Je me présente, annonça le monsieur.
Je suis le maire de New York.

— Je suis très heureuse de vous rencon-
trer », répondit poliment Julie.

Elle était très impressionnée. Le maire lui
sourit.

« Au nom de notre grande ville, je veux vous remercier pour votre audace et votre généreux courage. Vous avez sauvé des centaines de gens d'une catastrophe ! »

La foule accueillit ces propos par des acclamations.

« Pour vous exprimer notre gratitude, à vous et à votre remarquable famille, nous voulons vous remettre cet humble chèque, en gage de notre respect. »

Julie n'en croyait pas ses yeux. Le chèque

comportait encore plus de zéros que la facture de M. Doubleveste. Elle sauta de joie et fit un gros baiser sur la joue du Maire. Les appareils photo crépitèrent.

« Merci ! » dit-elle, et tout le monde applaudit. On aurait cru une fête d'anniversaire.

Puis on les emmena à l'aéroport dans la limousine personnelle du maire, et on leur donna un billet en première classe.

19

Le retour

Les choses ne tardèrent pas à rentrer dans l'ordre. Julie était ravie de retrouver sa maison et ses amis. Et encore plus contente de retourner à l'école. David Dumont était heureux de la revoir, et Mme Legrand aussi. Tout le monde se réjouit du retour de Julie. Papa et Maman était redevenus comme avant, et même si les réparations prirent plus de temps que prévu, les clients du garage ne se fâchèrent pas.

Louis était heureux de retrouver son ancienne vie. Le séjour à New York lui semblait avoir été un rêve, mais une seule chose avait changé – en mieux : il s'entendait maintenant très bien avec Julie. Ils ne se disputaient plus jamais. Et Julie ne semblait pas regretter l'époque où elle était la petite fille la plus forte du monde.

Ses exploits passés ne lui manquaient pas. Elle était contente d'être redevenue la petite Julie Jacquet, et surtout, elle allait bientôt avoir neuf ans !

SALLY GARDNER

Sally Gardner est l'auteur et l'illustratrice de nombreux livres pour la jeunesse, où elle explore, le plus souvent, le monde des fées, des princesses et des magiciens. Elle a commencé sa carrière comme costumière de théâtre... Un autre genre de féerie ! Sally Gardner vit avec son mari, ses jumelles et son fils à Londres.

TABLE

Composition JOUVE – 53100 Mayenne
N° 320541g
Imprimé en France par HÉRISSEY - 27000 Evreux
Dépôt imprimeur : 94262 - éditeur n° 32894
32.10.2101.7/01 - ISBN : 2.01.322101.0
Loi n° 49-956 du 16 juillet 1949 sur les publications destinées à la jeunesse
Dépôt légal : avril 2003